Il était une fois un petit écureuil roux qui s'appelait Robin.
Il venait d'emménager dans un nouveau nid, au sommet
d'un nouvel arbre, au cœur d'une nouvelle forêt.

Afin de faire connaissance
avec ses nouveaux voisins,
Robin décida d'aller
leur rendre une petite visite.

Robin toqua d'abord à la porte du hibou.

« Bonjour, je suis Robin, ton nouveau voisin.

– Je ne t'ai jamais vu dans la forêt, dit le hibou, méfiant.

– Oui, je viens d'arriver et j'ai quelque chose
à te demander, dit Robin.

– Je ne suis pas intéressé ! »

Le hibou claqua sa porte et se rendormit, en attendant la nuit.

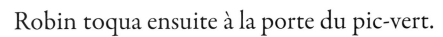

Robin toqua ensuite à la porte du pic-vert.
« Bonjour, je suis Robin, ton nouveau voisin.
– Je ne t'ai jamais vu dans la forêt, dit le pic-vert, inquiet.
– Oui, je viens d'arriver et j'ai quelque chose
à te demander, dit Robin.
– Je ne suis pas intéressé ! »
Le pic-vert claqua sa porte et se remit à tambouriner
sur le tronc.

Robin toqua ensuite à la porte du hérisson.
« Bonjour, je suis Robin, ton nouveau voisin.
– Je ne t'ai jamais vu dans la forêt,
dit le hérisson, craintif.
– Oui, je viens d'arriver et j'ai quelque chose
à te demander, dit Robin.
– Je ne suis pas intéressé ! »
Le hérisson claqua sa porte
et se roula en boule pour dormir.

Robin toqua enfin à la porte du lapin.

« Bonjour, je suis Robin, ton nouveau voisin.

– Je ne t'ai jamais vu dans la forêt, dit le lapin, farouche.

– Oui, je viens d'arriver et j'ai quelque chose
à te demander, dit Robin.

– Je ne suis pas intéressé ! »

Le lapin claqua sa porte et se remit à creuser son terrier.

Robin regagna tristement son nid
tout en haut du grand chêne.

Peu après, le petit écureuil
entendit du bruit.
Il sortit de son logis
et ce qu'il découvrit le surprit.

Le hibou, le pic-vert, le hérisson et le lapin s'affairaient
autour d'un panier bien chargé.

« Nous essayons de porter ces bûches, dit le lapin.

– Pour nous chauffer cet hiver, ajouta le hérisson.

– Mais le panier est coincé, poursuivit le pic-vert.

– Et nous n'arrivons plus à le soulever », conclut le hibou.

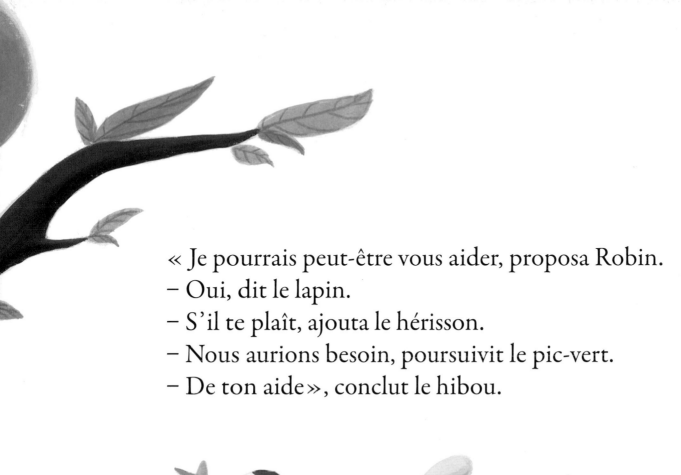

« Je pourrais peut-être vous aider, proposa Robin.
– Oui, dit le lapin.
– S'il te plaît, ajouta le hérisson.
– Nous aurions besoin, poursuivit le pic-vert.
– De ton aide », conclut le hibou.

En quelques bonds agiles, Robin se faufila parmi les branches entrelacées et se glissa sous le panier.

## Oh Hisse !

Tous ensemble, ils purent le soulever et le dégager. Les quatre amis remercièrent le petit écureuil.

« Après cet effort, nous avons besoin d'un peu de réconfort,
dit alors Robin. Que diriez-vous de venir goûter quelques-unes
de mes spécialités ? »

Les quatre amis se regardèrent, un peu honteux.
Ils se rappelèrent soudain l'accueil qu'ils avaient réservé
à Robin ce matin.

« Excuse-nous, dit le lapin.

– Nous nous sommes mal comportés, ajouta le hérisson.

– On ne te connaissait pas, poursuivit le pic-vert.

– Et nous étions un peu inquiets, conclut le hibou.

– C'est oublié, maintenant vous me connaissez !

Alors, c'est d'accord ? »

Le hibou, le pic-vert, le hérisson et le lapin
furent enchantés de déguster des pommes
de pin grillées et des noisettes caramélisées.

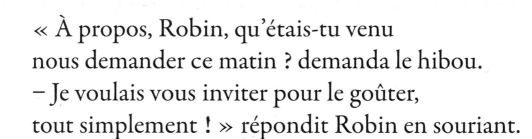

« À propos, Robin, qu'étais-tu venu
nous demander ce matin ? demanda le hibou.
– Je voulais vous inviter pour le goûter,
tout simplement ! » répondit Robin en souriant.

Désormais, dans la forêt, ce ne sont plus
quatre mais cinq amis que l'on voit jouer
et s'entraider au pied du grand chêne.